CW00649911

On the Road to Warsaw: Short Stories in Polish for Beginners

Artici Bilingual Books

Published by Artici Bilingual Books, 2024.

ON THE ROAD TO WARSAW: SHORT STORIES IN POLISH FOR BEGINNERS

First edition. April 12, 2024.

Copyright © 2024 Artici Bilingual Books.

ISBN: 979-8224587483

Written by Artici Bilingual Books.

Table of Contents

Dąb

W małej wiosce w Polsce mieszkał człowiek o imieniu Janek. Mieszkał samotnie w przytulnej chatce na skraju lasu. Janek był cichym człowiekiem, spędzającym dni na pielęgnowaniu swojego ogrodu i zwierząt. Ale był jedną rzeczą, którą Janek kochał bardziej niż cokolwiek innego - stary dąb, który stał wysoko pośrodku jego ziemi. Codziennie rano Janek siadał pod dębem, jego gałęzie zapewniając cień przed słońcem. Popijał swoją kawę i słuchał śpiewu ptaków odmawiających poranne pieśni. Dąb był jego sanktuarium, miejscem pokoju i samotności.

Pewnego dnia, gdy Janek siedział pod dębem, zauważył coś niezwykłego. Na gałęziach pojawiło się małe gniazdo. Ciekaw, Janek wspiął się na drzewo, aby przyjrzeć się z bliska. Wewnątrz gniazda były trzy maleńkie jaja, pokryte delikatnymi wzorami.

W kolejnych dniach Janek obserwował, jak jaja się wykluwały, i z gniazda wyłaniały się trzy pisklęta. Były one małe i delikatne, z piórami tak miękkimi jak puch. Janek wiedział, że musi się nimi zająć, tak jak dbał o swój ogród i swoje zwierzęta.

Codziennie Janek wchodził na dąb, aby karmić pisklęta. Zbierał robaki i owady z ogrodu, ostrożnie umieszczając je w gnieździe dla głodnych ptaszków. W miarę jak rosły, ptaki stawały się silniejsze, ich ćwierkanie wypełniało powietrze radością.

Ale pewnego dnia przez wieś przetoczyła się gwałtowna burza. Wiatr wył, a deszcz lał się, bijąc o okna chatki Janka. Janek wiedział, że dąb zapewni niewiele schronienia przed burzą, więc zabrał pisklęta do środka, trzymając je bezpieczne i ciepłe, aż burza minęła.

Kiedy słońce wreszcie wyłoniło się zza chmur, Janek z powrotem umieścił ptaki w gnieździe. Śpiewały radośnie, ich pióra były postrzępione, ale nieuszkodzone. Janek uśmiechnął się, wiedząc, że zrobił właściwą rzecz.

W miarę jak dni zamieniały się w tygodnie, a tygodnie w miesiące, pisklęta przekształciły się w silne, pewne siebie stworzenia. Nauczyły się latać, unosząc się przez niebo z wdziękiem i pięknem. I chociaż w końcu opuściły gniazdo, by zbudować swoje własne życie, Janek wiedział, że zawsze będą nosić w sobie kawałek jego.

Dla Janka dąb pozostał symbolem nadziei i wytrwałości. Przeżył wiele burz, tak jak on. I choć świat wokół niego ciągle się zmieniał, dąb stał wysoki i niezachwiany, stałym przypomnieniem piękna i siły natury.

The Oak Tree

In a small village in Poland, there was a man named Janek. He lived alone in a cozy cottage at the edge of the forest. Janek was a quiet man, spending his days tending to his garden and his animals. But there was one thing that Janek loved more than anything else – an old oak tree that stood tall in the middle of his land.

Every morning, Janek would sit under the oak tree, its branches providing shade from the sun. He would sip his coffee and listen to the birds singing their morning songs. The oak tree was his sanctuary, a place of peace and solitude.

One day, as Janek sat under the oak tree, he noticed something unusual. A small nest had appeared nestled among the branches. Curious, Janek climbed up the tree to get a closer look. Inside the nest were three tiny eggs, speckled with delicate patterns.

Over the following days, Janek watched as the eggs hatched, and three baby birds emerged. They were tiny and fragile, with feathers as soft as down. Janek knew that he had to take care of them, just like he took care of his garden and his animals.

Every day, Janek would climb the oak tree to feed the baby birds. He would gather worms and insects from the garden, carefully placing them in the nest for the hungry chicks. As they grew, the birds became stronger, their chirps filling the air with joy.

But one day, a fierce storm swept through the village. The wind howled and the rain poured down, lashing against the windows of Janek's cottage. Janek knew that the oak tree would provide little shelter from the storm, so he brought the baby birds inside, keeping them safe and warm until the storm passed.

When the sun finally emerged from behind the clouds, Janek returned the birds to their nest. They chirped happily, their feathers ruffled but unharmed. Janek smiled, knowing that he had done the right thing.

As the days turned into weeks and the weeks into months, the baby birds grew into strong, confident creatures. They learned to fly, soaring through the sky with grace and beauty. And though they eventually left the nest to build their own lives, Janek knew that they would always carry a piece of him with them.

For Janek, the oak tree remained a symbol of hope and resilience. It had weathered many storms, just like he had. And though the world around him was ever-changing, the oak tree stood tall and unwavering, a constant reminder of the beauty and strength of nature.

Pola Słoneczników

W rozległej wsi w Polsce istniała mała wioska, gdzie czas zdawał się płynąć wolno, jak delikatne kołysanie się pól słoneczników, które rozciągały się na mile. W tej wiosce mieszkała młoda dziewczyna o imieniu Kasia. Miała długie, falujące włosy o kolorze złocistego pszenicy i oczy niebieskie jak niebo.

Kasia spędzała dni błądząc po polach, jej gołe stopy zapadające się w miękkią ziemię. Biegała między słonecznikami, ich jasnożółte płatki wyciągnięte w kierunku słońca. To było jej ulubione miejsce na świecie, miejsce, gdzie czuła się wolna i pełna życia.

Pewnego dnia, gdy Kasia błądziła po polach, natknęła się na ukrytą ścieżkę prowadzącą głęboko do lasu. Zaintrygowana, podążyła ścieżką, drzewa szepcząc sekrety gdy przechodziła. W końcu wyszła na polanę, gdzie piękne jezioro mieniło się w świetle słonecznym.

Ale to, co przyciągnęło uwagę Kasi, nie było jezioro, ale postać młodego chłopca siedzącego na brzegu. Miał ciemne, rozczochrane włosy i oczy błyszczące jak szmaragdy. Spojrzał w górę, gdy Kasia się zbliżyła, uśmiechając się.

"Witaj," powiedział, jego głos był miękki i melodyjny. "Jestem Adam. A jak masz na imię?"

Kasia poczuła motyle w swojej piersi, gdy odpowiedziała: "Jestem Kasia. Nigdy wcześniej cię tu nie widziałam. Jesteś z wioski?"

Adam potrząsnął głową. "Nie, jestem z wioski daleko stąd. Przychodzę tu, aby uciec od hałasu i chaosu świata. Jest tu tak spokojnie, nie sądzisz?"

Kasia kiwnęła głową, jej serce biło coraz szybciej z podekscytowaniem. Nigdy wcześniej nie spotkała nikogo takiego jak Adam, kogoś, kto zdawał się rozumieć jej miłość do pól słoneczników i spokojnego piękna natury.

Przez kilka dni Kasia i Adam spędzili razem czas, eksplorując las i pływając w jeziorze. Rozmawiali o swoich nadziejach i marzeniach, o strachach i niepewnościach. I z każdym dniem Kasia czuła, jak zaczyna się coraz bardziej zakochiwać w Adamie.

Ale gdy letnie dni zamieniały się w jesienne noce, Kasia zaczęła zauważać zmianę w Adamie. Stawał się coraz bardziej odległy i wycofany, jego śmiech gasnął jak ostatnie promienie słońca o zmierzchu. Gdy pytała go, co jest nie tak, on po prostu uśmiechał się i mówił: "Nic, Kasiu. Nie martw się o mnie."

Ale Kasia nie mogła się oprzeć wrażeniu, że coś jest nie tak. Czuła, jak w jej żołądku zaczyna się tkać węzeł niepokoju, jak burza nadciągająca na horyzoncie. A potem, pewnego dnia, Adam zniknął bez śladu, pozostawiając tylko list.

Droga Kasiu,

Przepraszam, że odszedłem, nie mówiąc pożegnania, ale muszę odejść. Są o mnie rzeczy, których nie wiesz, rzeczy, których nie potrafię wytłumaczyć. Proszę, nie próbuj mnie szukać. Tak będzie lepiej.

Twoj,

Adam

Kasia czuła, jak jej serce rozrywa się na milion kawałków, gdy czytała list. Nie mogła zrozumieć, dlaczego Adam ją opuścił, dlaczego porzucił miłość, którą dzielili. I tak, ze łzami na policzkach, wyruszyła, aby go znaleźć, zdeterminowana, by odkryć prawdę.

Szukała wszędzie, po polach słoneczników i lesie, wołając imię Adama w ciemności. Ale bez względu na to, jak bardzo szukała, nie było go nigdzie. To było, jakby zniknął w powietrzu, pozostawiając tylko wspomnienia i niewyjaśnione pytania.

Dni zamieniały się w tygodnie, a Kasia nadal nie chciała tracić nadziei. Siedziała przy jeziorze godzinami, obserwując jak woda faluje na wietrze, mając nadzieję przeciwko nadziei, że Adam wróci do niej. Ale gdy pory roku się zmieniały, a pola słoneczników więdnęły pod ciężarem zimy, Kasia zdała sobie sprawę, że nigdy więcej nie zobaczy Adama.

I tak, z ciężkim sercem, pożegnała się z polami słoneczników i wspomnieniami, jakie trzymały. Ale gdy odchodziła, wiedziała, że zawsze będzie nosiła kawałek Adama w sobie, jak słonecznik kwitnący w głębi swojej duszy. I chociaż ich miłość była krótka i gorzka, była prawdziwa, i za to Kasia zawsze będzie wdzięczna.

The Sunflower Fields

In the vast countryside of Poland, there existed a small village where time seemed to move slowly, like the gentle swaying of the sunflower fields that stretched for miles. In this village lived a young girl named Kasia. She had long, flowing hair the color of golden wheat and eyes as blue as the sky.

Kasia spent her days wandering through the fields, her bare feet sinking into the soft earth. She would run among the sunflowers, their bright yellow petals reaching towards the sun. It was her favorite place in the world, a place where she felt free and alive.

One day, as Kasia roamed the fields, she stumbled upon a hidden path that led deep into the forest. Intrigued, she followed the path, the trees whispering secrets as she passed. Eventually, she emerged into a clearing, where a beautiful lake shimmered in the sunlight.

But what caught Kasia's attention was not the lake, but the figure of a young boy sitting on the shore. He had dark, tousled hair and eyes that sparkled like emeralds. He looked up as Kasia approached, a smile spreading across his face.

"Hello," he said, his voice soft and melodic. "I'm Adam. What's your name?"

Kasia felt a flutter in her chest as she replied, "I'm Kasia. I've never seen you here before. Are you from the village?"

Adam shook his head. "No, I'm from a village far away. I come here to escape the noise and chaos of the world. It's so peaceful here, don't you think?"

Kasia nodded, her heart racing with excitement. She had never met anyone like Adam before, someone who seemed to understand her love for the sunflower fields and the quiet beauty of nature.

For days, Kasia and Adam spent their time together, exploring the forest and swimming in the lake. They talked about their hopes and dreams, their fears and insecurities. And with each passing day, Kasia felt herself falling deeper and deeper in love with Adam.

But as the summer days turned into autumn nights, Kasia began to notice a change in Adam. He grew distant and withdrawn, his laughter fading like the last rays of sunlight at dusk. When she asked him what was wrong, he would simply smile and say, "Nothing, Kasia. Don't worry about me."

But Kasia couldn't shake the feeling that something was not right. She felt a knot of worry forming in her stomach, like a storm brewing on the horizon. And then, one day, Adam disappeared without a trace, leaving only a note behind.

Dear Kasia,

I'm sorry for leaving without saying goodbye, but I have to go. There are things about me that you don't know, things that I can't explain. Please don't try to find me. It's better this way.

Yours,

Adam

Kasia felt her heart shatter into a million pieces as she read the note. She couldn't understand why Adam would leave her, why he would abandon the love they shared. And so, with tears streaming down her cheeks, she set out to find him, determined to uncover the truth.

She searched high and low, through the sunflower fields and the forest, calling out Adam's name into the darkness. But no matter how hard she looked, he was nowhere to be found. It was as if he had vanished into thin air, leaving behind only memories and unanswered questions.

Days turned into weeks, and still Kasia refused to give up hope. She would sit by the lake for hours, watching the water ripple in the breeze, hoping against hope that Adam would return to her. But as the seasons changed and the sunflower fields wilted beneath the weight of winter, Kasia realized that she would never see Adam again.

And so, with a heavy heart, she said goodbye to the sunflower fields and the memories they held. But as she walked away, she knew that she would always carry a piece of Adam with her, like a sunflower blooming in the depths of her soul. And though their love had been brief and bittersweet, it had been real, and for that, Kasia would be forever grateful.

Tajemnica Magicznej Kiełbasy

W sercu Polski mieszkała młoda dziewczyna o imieniu Zosia. Mieszkała w małej chatce ze swoją babcią, Babcią. Zosia uwielbiała eksplorować lasy w pobliżu swojego domu, szukając ukrytych skarbów i magicznych istot. Pewnego słonecznego ranka Zosia wyruszyła na swoją przygodę, koszyk z świeżym chlebem i serem w ręku. Podczas gdy wędrowała przez drzewa, natknęła się na polanę, której nigdy wcześniej nie widziała. W centrum polany stała tajemnicza postać - gigantyczna kiełbasa, mieniąca się innym światłem.

Oczy Zosi rozszerzyły się ze zdumienia. Słyszała opowieści o magicznych kiełbasach, ale nigdy nie wierzyła, że są one prawdziwe. A jednak tutaj była, tuż przed jej oczami, przekraczając wszelką logikę i rozum. Ostrożnie Zosia podeszła do kiełbasy, jej serce biło szybciej z ekscytacji. Wyciągnęła drżącą dłoń i dotknęła jej powierzchni. Nagle polana wypełniła się błyskiem światła, a kiełbasa zaczęła mówić.

"Witaj, odważny poszukiwaczu," zabrzmiało. "Jestem Strażnikiem Magicznej Kiełbasy. Tylko ci, którzy są czystego serca, mogą posiąść jej moc."

Zosia westchnęła z zachwytu. Zawsze marzyła o wielkiej wyprawie, a teraz wydawało się, że jej chwila wreszcie nadeszła.

"Jestem czystego serca," oznajmiła śmiało. "Zrobię wszystko, aby udowodnić swoją wartość."

Kiełbasa kiwnęła aprobatywnie głową. "Bardzo dobrze, młoda osobo. Twoim pierwszym zadaniem jest podróż do zaczarowanego lasu i odnalezienie Złotego Pieroga. Strzeże go straszliwy Troll Leśny, więc musisz być odważna i sprytna."

Z zdecydowanym kiwnięciem głowy Zosia przyjęła wyzwanie. Wyruszyła w las, jej oczy przemierzały drzewa w poszukiwaniu jakiegokolwiek znaku niebezpieczeństwa. Gdy wkraczała coraz głębiej w głąb lasu, czuła obecność Trolla Leśnego czyhającego w pobliżu. Nagle usłyszała szmer w krzakach przed sobą. Szybkim ruchem ręki wyciągnęła bochenek chleba z koszyka i rzuciła go w krzaki. Szmer ucichł, a chwilę później z krzaków wyszedł mały królik, gryząc chleb. Zosia odetchnęła z ulgą i kontynuowała swoją drogę. Wkrótce dotarła do serca zaczarowanego lasu, gdzie miał być ukryty Złoty Pieróg. Przeszukiwała go po kawałku, przewracając kamienie i zaglądając do pustych drzew, aż wreszcie dostrzegła poświatę złota pod krzakiem. Drżącymi rękami sięgnęła i złapała Złotego Pieroga. Ale zanim mogła świętować swoje zwycięstwo, głos dźwięczał głęboko, wibrując przez drzewa.

"Kto śmie zakłócać mój las?" zabrzmiało.

Zosia odwróciła się, by ujrzeć straszliwego Trola Leśnego, wyłaniającego się przed nią, jego oczy błyszczały z gniewu. Ale zamiast ugiąć się z strachu, Zosia stanęła na swoim, trzymając głowę wysoko.

"Jestem Zosia, odważną poszukiwaczką," oznajmiła. "I przyszłam, aby odebrać Złotego Pieroga."

Troll Leśny roześmiał się, jego głos wstrząsającym ziemią pod nimi. "Ty? Odebrać Złotego Pieroga? Ha! Nie jesteś mi w stanie dorównać, mała dziewczynko."

Ale Zosia odmówiła ustępstwa. W szybkim ruchu wyrzuciła Złotego Pieroga w powietrze i złapała go na wyciągniętą dłoń.

"Spróbuj," powiedziała, jej głos był pewny i silny.

Troll Leśny rzucił się do przodu, swoimi pazurami wystawionymi na atak. Ale w momencie, gdy miał zaatakować, Zosia wyciągnęła Złotego Pieroga, jego złote światło świeciło jasno. I w mgnieniu oka Troll Leśny zamarł w miejscu, zamieniony w kamień mocą zaklętego pieroga.

Z triumfalnym uśmiechem Zosia odebrała Złotego Pieroga i wróciła na polanę, gdzie czekała magiczna kiełbasa. Kiedy się zbliżała, blask kiełbasy stawał się coraz jaśniejszy, rozświetlając cały las swoim złotym światłem.

"Dobrze zrobione, Zosiu," powiedziała kiełbasa, jej głos wypełniony dumą. "Udowodniłaś, że jesteś naprawdę czystego serca. Teraz, weź tę magiczną kiełbasę i używaj jej mądrze." Z wdzięcznym skinieniem Zosia przyjęła dar i pożegnała się z zaczarowanym lasem. Wróciwszy do domu do swojej babci, wiedziała, że jej przygoda dopiero się zaczyna. Z mocą magicznej kiełbasy u swojego boku, nie było wiadomo, jakie inne cuda czekają na nią w krainie Polski.

The Mystery of the Magical Kielbasa

In the heart of Poland, there lived a young girl named Zosia. She lived in a small cottage with her grandmother, Babushka. Zosia loved exploring the forest near her home, searching for hidden treasures and magical creatures.

One sunny morning, Zosia set out on her adventure, a basket of fresh bread and cheese in hand. As she wandered through the trees, she stumbled upon a clearing she had never seen before. In the center of the clearing stood a mysterious figure – a giant kielbasa, shimmering with an otherworldly glow.

Zosia's eyes widened in amazement. She had heard tales of magical kielbasa, but she had never believed them to be true. Yet here it was, right before her eyes, defying all logic and reason.

Carefully, Zosia approached the kielbasa, her heart racing with excitement. She reached out a trembling hand and touched its surface. Suddenly, a burst of light filled the clearing, and the kielbasa began to speak.

"Greetings, brave adventurer," it boomed. "I am the Guardian of the Magical Kielbasa. Only those pure of heart may wield its power."

Zosia gasped in astonishment. She had always dreamed of going on a grand quest, and now it seemed that her moment had finally arrived.

"I am pure of heart," she declared boldly. "I will do whatever it takes to prove myself worthy."

The kielbasa nodded approvingly. "Very well, young one. Your first task is to journey to the enchanted forest and retrieve the Golden Pierogi. It is guarded by the fearsome Forest Troll, so you must be brave and cunning."

With a determined nod, Zosia accepted the challenge. She set off into the forest, her eyes scanning the trees for any sign of danger. As she ventured deeper into the woods, she could feel the presence of the Forest Troll lurking nearby.

Suddenly, she heard a rustling in the bushes ahead. With a quick flick of her wrist, she pulled out a loaf of bread from her basket and tossed it into the bushes. The rustling stopped, and a moment later, a small rabbit emerged, nibbling on the bread.

Zosia breathed a sigh of relief and continued on her way. Soon, she reached the heart of the enchanted forest, where the Golden Pierogi was said to be hidden. She searched high and low, turning over rocks and peering into hollow trees, until at last, she spotted a glimmer of gold beneath a bush.

With trembling hands, she reached out and grasped the Golden Pierogi. But before she could celebrate her victory, a deep, rumbling voice echoed through the trees.

"Who dares to disturb my forest?" it boomed.

Zosia turned to see the fearsome Forest Troll looming before her, its eyes flashing with anger. But instead of cowering in fear, Zosia stood her ground, her chin held high.

"I am Zosia, the brave adventurer," she declared. "And I have come to claim the Golden Pierogi."

The Forest Troll roared with laughter, its voice shaking the very ground beneath them. "You? Claim the Golden Pierogi? Ha! You are no match for me, little girl."

But Zosia refused to back down. With a swift motion, she tossed the Golden Pierogi into the air and caught it in her outstretched hand.

"Try me," she said, her voice steady and strong.

The Forest Troll lunged forward, its claws bared for attack. But just as it was about to strike, Zosia held out the Golden Pierogi, its golden light shining bright. And in an instant, the Forest Troll froze in place, turned to stone by the power of the enchanted pierogi.

With a triumphant smile, Zosia retrieved the Golden Pierogi and made her way back to the clearing where the magical kielbasa awaited. As she approached, the kielbasa's glow grew brighter, illuminating the entire forest with its golden light.

"Well done, Zosia," the kielbasa said, its voice filled with pride. "You have proven yourself to be truly pure of heart. Now, take this magical kielbasa and use its power wisely."

With a grateful nod, Zosia accepted the gift and bid farewell to the enchanted forest. As she returned home to her grandmother, she knew that her adventure was just beginning. With the power of the magical kielbasa by her side, there was no telling what other wonders awaited her in the land of Poland.

Tajemnicza Sprawa Zaginionej Kota Pani Kowalskiej

W malowniczym miasteczku Kraków, ukrytym w sercu Polski, mieszkała kobieta o imieniu Pani Kowalska. Była serdeczną wdową, która mieszkała sama w przytulnej chatce na końcu krętej brukowanej uliczki. Pani Kowalska była znana w całym miasteczku ze swej miłości do zwierząt, zwłaszcza swego ukochanego kota, Minki.

Pewnego słonecznego poranka Pani Kowalska obudziła się, by odkryć, że Minki nie ma nigdzie w pobliżu. Przeszukała każdy zakamarek, wołając jej imię i potrząsając torebką z przysmakami, ale Minki nie było widać. Serce Pani Kowalskiej opadło, gdy zdała sobie sprawę, że jej drogi kot zniknął.

Zdecydowana odnaleźć Minkę, Pani Kowalska wyruszyła na misję, pukając do drzwi i pytając sąsiadów, czy widzieli jej ukochane zwierzę. Ale nikt nie widział ani śladu Minki, a Pani Kowalska coraz bardziej się martwiła z każdą upływającą godziną.

Gdy Pani Kowalska zaczynała tracić nadzieję, odwiedził ją sąsiad, Pan Nowak. Był emerytowanym detektywem, który rozwiązywał wiele zagadek w swoim czasie, i Pani Kowalska wiedziała, że jeśli ktoś może jej pomóc odnaleźć Minkę, to właśnie on.

"Pani Kowalska, usłyszałem o zaginionej kocicy," powiedział Pan Nowak, jego głos brzmiał poważnie. "Jestem tutaj, by zaoferować moją pomoc. Razem dotrzemy do sedna tej tajemnicy."

Oczy Pani Kowalskiej zajaśniały wdzięcznością, gdy przywitała Pana Nowaka w swoim domu. Razem przeszukiwali okolicę, szukając jakichkolwiek wskazówek, które mogłyby prowadzić do Minki. Pytali sąsiadów, sprawdzali zaułki, a nawet zwrócili się o pomoc do miejscowych dzieci, aby rozdawały ulotki.

Ale pomimo ich najlepszych starań, Minka pozostała nieuchwytna. To było jakby zniknęła w powietrzu, pozostawiając tylko szereg niewyjaśnionych pytań.

Właśnie wtedy, gdy Pani Kowalska zaczęła tracić nadzieję, nastąpił przełom. Jedno z dzieci z sąsiedztwa doniosło, że widziało tajemniczą postać przemykającą koło chatki Pani Kowalskiej w nocy, kiedy Minka zniknęła. Opisywali postać jako wysoką i tajemniczą, z kapeluszem nisko na oczach.

Z uzbrojoną w tę nową informację, Pani Kowalska i Pan Nowak wyruszyli dalej, aby zbadać sprawę. Pukali do drzwi i pytali mieszkańców, mając nadzieję odkryć tożsamość tajemniczej postaci. I wreszcie, po godzinach śledztwa, natknęli się na wskazówkę, która zmieniła wszystko. Na końcu ogrodu Pani Kowalskiej, ukryte pod stosem liści, znaleźli mały, zniszczony kapelusz. To był ten sam kapelusz opisany przez dziecko z sąsiedztwa, potwierdzając ich podejrzenia, że tajemnicza postać była powiązana z zaginięciem Minki.

Z odnowionym zapałem Pani Kowalska i Pan Nowak podążyli śladem wskazówek, który prowadził ich do zrujnowanego starego magazynu na obrzeżach miasta. Wkradli się do środka, serca bijące z niecierpliwością, i zastali widok, który zapierał im dech w piersiach.

Tam, stłoczone w kącie magazynu, był Minka, wyglądająca przestraszona i zaniedbana. A nad nią stała tajemnicza postać, która okazała się być niczym innym jak starczym, zrzędliwym piekarzem miasta, Panem Jankowskim.

"Co to ma znaczyć?" domagała się Pani Kowalska, jej głos drżał z gniewu. "Dlaczego zabrałeś mojego kota?"

Pan Jankowski opadł z zażenowania, jego surowa powierzchowność rozpadała się pod spojrzeniem Pani Kowalskiej. "Ja... Ja byłem zazdrosny," wyznał. "Widziałem, jak dużo miłości i uwagi poświęcasz Mince, i chciałem mieć własne zwierzę. Ale wiedziałem, że nigdy nie zastąpię jej, więc... więc zabrałem ją."

Serce Pani Kowalskiej rozmiękło, gdy słuchała wyznania Pana Jankowskiego. Teraz widziała, że był to tylko samotny stary człowiek, który tęsknił za towarzystwem, podobnie jak ona sama. Z delikatnym uśmiechem Pani Kowalska podszedł do Minki i wzięła ją w ramiona. "Już dobrze, moja droga," szeptała, głaszcząc futro Minki. "Jesteś teraz bezpieczna."

I tak, Pani Kowalska wybaczyła Panu Jankowskiemu, wiedząc, że nauczył się lekcji, a Minka wróciła tam, gdzie jej miejsce – w kochających ramionach swojej właścicielki. Co do Pana Nowaka, uśmiechnął się dumnie, wiedząc, że kolejna tajemnica została rozwiązana dzięki jego bystrym umiejętnościom detektywistycznym.

I tak, w malowniczym miasteczku Kraków, życie wróciło do normy. Pani Kowalska i Minka kontynuowały rozsiewanie radości i miłości po całym sąsiedztwie, podczas gdy Pan Nowak odłożył na bok swoją detektywistyczną czapkę, zadowolony z myśli, że pomógł przyjacielowi w potrzebie.

The Mysterious Case of Mrs. Kowalski's Missing Cat

In the quaint town of Krakow, nestled in the heart of Poland, there lived a woman named Mrs. Kowalski. She was a kind-hearted widow who lived alone in a cozy cottage at the end of a winding cobblestone street. Mrs. Kowalski was known throughout the town for her love of animals, especially her beloved cat, Minka.

One sunny morning, Mrs. Kowalski woke up to find that Minka was nowhere to be found. She searched high and low, calling out her name and shaking a bag of treats, but Minka was nowhere to be seen. Mrs. Kowalski's heart sank as she realized that her precious cat had gone missing.

Determined to find Minka, Mrs. Kowalski set out on a mission, knocking on doors and asking her neighbors if they had seen her beloved pet. But no one had seen hide nor hair of Minka, and Mrs. Kowalski grew more and more worried with each passing hour.

Just as Mrs. Kowalski was starting to lose hope, she received a visit from her neighbor, Mr. Nowak. He was a retired detective who had solved many mysteries in his day, and Mrs. Kowalski knew that if anyone could help her find Minka, it was him.

"Mrs. Kowalski, I heard about your missing cat," Mr. Nowak said, his voice grave. "I'm here to offer my assistance. Together, we'll get to the bottom of this mystery."

Mrs. Kowalski's eyes lit up with gratitude as she welcomed Mr. Nowak into her home. Together, they combed through the neighborhood, searching for any clues that might lead them to Minka. They questioned neighbors, inspected alleyways, and even enlisted the help of local children to hand out flyers.

But despite their best efforts, Minka remained elusive. It was as if she had vanished into thin air, leaving behind only a trail of unanswered questions.

Just when Mrs. Kowalski was beginning to lose hope, a breakthrough occurred. One of the neighborhood children reported seeing a mysterious figure lurking near Mrs. Kowalski's cottage on the night Minka disappeared. They described the figure as tall and shadowy, with a hat pulled low over their eyes.

Armed with this new information, Mrs. Kowalski and Mr. Nowak set out to investigate further. They knocked on doors and questioned residents, hoping to uncover the identity of the mysterious figure. And finally, after hours of sleuthing, they stumbled upon a clue that would change everything.

In the corner of Mrs. Kowalski's garden, hidden beneath a pile of leaves, they found a small, tattered hat. It was the same hat described by the neighborhood child, confirming their suspicions that the mysterious figure was indeed connected to Minka's disappearance.

With renewed determination, Mrs. Kowalski and Mr. Nowak followed the trail of clues, which led them to a dilapidated old warehouse on the outskirts of town. They crept inside, their hearts pounding with anticipation, and were met with a sight that took their breath away.

There, huddled in the corner of the warehouse, was Minka, looking frightened and disheveled. And standing over her was the mysterious figure, who turned out to be none other than the town's grumpy old baker, Mr. Jankowski.

"What is the meaning of this?" Mrs. Kowalski demanded, her voice trembling with anger. "Why did you take my cat?"

Mr. Jankowski hung his head in shame, his gruff exterior crumbling under Mrs. Kowalski's gaze. "I... I was jealous," he confessed. "I saw how much love and attention you gave to Minka, and I wanted a pet of my own. But I knew I could never replace her, so I... I took her instead."

Mrs. Kowalski's heart softened as she listened to Mr. Jankowski's confession. She could see now that he was just a lonely old man who longed for companionship, much like herself.

With a gentle smile, Mrs. Kowalski approached Minka and scooped her into her arms. "There, there, my dear," she whispered, stroking Minka's fur. "You're safe now."

And with that, Mrs. Kowalski forgave Mr. Jankowski, knowing that he had learned his lesson and that Minka was back where she belonged – in the loving arms of her owner. As for Mr. Nowak, he smiled proudly, knowing that another mystery had been solved thanks to his keen detective skills.

And so, in the quaint town of Krakow, life returned to normal once more. Mrs. Kowalski and Minka continued to spread joy and love throughout the neighborhood, while Mr. Nowak hung up his detective hat, content in the knowledge that he had helped a friend in need.

Na Drodze do Warszawy

W sercu Polski, gdzie brukowane uliczki rozbrzmiewały rytmem życia, mieszkał młody człowiek o imieniu Marek. Marek był marzycielem, wędrowcem z serca, z pragnieniem przygód, które płonęło jaśniej niż gwiazdy na nocnym niebie.

Jednego rześkiego jesiennego poranka Marek obudził się z uczuciem w kościach, niespokojną energią, która szarpała jego duszę. Wiedział, że nie może już zostać w swojej małej wiosce, że musi wyruszyć w podróż, by odnaleźć to, czego szukał – nawet jeśli jeszcze nie wiedział, czego dokładnie.

Więc, bez zastanowienia, Marek spakował małą torbę z kilkoma ubraniami, paroma zapasami i mapą Polski. Rzucił torbę na ramię i ruszył w drogę, wiatr w plecy i słońce na twarzy.

Podczas gdy Marek szedł, poczuł, jak ciężar świata znika z jego ramion. Wdychał rześkie powietrze jesienny, pozwalał mu wypełniać jego płuca odnowionym celem. Droga rozciągała się przed nim jak taśma możliwości, prowadząc go ku jego przeznaczeniu.

W trakcie podróży Marek spotkał wszelakich postaci – rolników dbających o swoje pola, staruszków siedzących na ławkach w parku karmiących gołębie, dzieci bawiące się na ulicach. Każde spotkanie wypełniało go uczuciem zdumienia, przypominając o pięknie i różnorodności świata wokół niego.

Ale dopiero kiedy Marek dotarł do gwarnej Warszawy, poczuł się naprawdę żywy. Ulice tętniły życiem i energią, powietrze byczało od dźwięku śmiechu i muzyki. Marek wędrował przez miasto, jego oczy szeroko otwarte z podziwem, gdy chłonął widoki i dźwięki tego pulsującego miasta.

Przechodził przez kolorowe targowiska, gdzie sprzedawcy krzykali swoje towary z okrzykiem "Świeży chleb! Soczyste jabłka! Wykwintne sery!"

Wędrował wąskimi uliczkami, gdzie uliczni artyści oszałamiali przechodniów swoimi akrobatycznymi sztuczkami i melodyjnymi dźwiękami.

A potem, gdy słońce zaczęło zachodzić, a światła miasta zaczęły się migać, Marek natknął się na małą kawiarnię schowaną w sercu miasta. Zapach świeżo parzonej kawy unosił się w powietrzu, mieszając się ze wonią świeżo upieczonych wypieków.

Marek wszedł do środka i został przywitany ciepłym blaskiem światła świec i delikatnymi dźwiękami jazzowego zespołu grającego w kącie. Znalazł stolik przy oknie i zamówił filiżankę kawy, rozkoszując się bogatym, gorzkim smakiem, gdy obserwował świat za oknem.

Kiedy Marek siedział, zamyślony, poczuł delikatne puknięcie w ramię. Obrócił się, aby zobaczyć młodą kobietę stojącą za nim, jej oczy błyszczały z ciekawości.

"Nie masz nic przeciwko, jeśli dołączę?" zapytała, jej głos był miękki i melodyjny.

Marek uśmiechnął się i wskazał pustą krzesło naprzeciwko niego. "Proszę, usiądź."

Kobieta usiadła, przedstawiając się jako Ania. Była malarką, wyjaśniła, z pasją do uchwycenia piękna świata na płótnie.

Gdy Marek i Ania rozmawiali, odkryli, że dzielą miłość do przygód i pragnienie zobaczenia świata. Śmiali się i dzielili historiami do późna w nocy, ich słowa płynęły jak rzeka, przenosząc ich w odległe krainy i dalekie marzenia.

I gdy noc przechodziła w świt, a kawiarnia zaczynała się opróżniać, Marek wiedział, że znalazł to, czego szukał od dawna – nie w jakiejś odległej krainie czy ukrytym skarbie, ale w prostym przyjemności ludzkiego połączenia.

Razem Marek i Ania wyruszyli na podbój świata, ich serca pełne nadziei, a duchy ożywione możliwościami. I gdy szli ramię w ramię w drodze do ich kolejnej przygody, Marek wiedział, że wreszcie znalazł swoje miejsce na świecie – na drodze do Warszawy, i dalej.

On the Road to Warsaw

In the heart of Poland, where the cobblestone streets echoed with the rhythm of life, there lived a young man named Marek. Marek was a dreamer, a wanderer at heart, with a yearning for adventure that burned brighter than the stars in the night sky.

One crisp autumn morning, Marek woke up with a feeling in his bones, a restless energy that tugged at his soul. He knew that he couldn't stay in his small village any longer, that he needed to set out on a journey to find what he was searching for – even if he didn't know what that was yet.

So, without a second thought, Marek packed a small bag with some clothes, a few provisions, and a map of Poland. He slung the bag over his shoulder and set off down the road, the wind at his back and the sun on his face.

As Marek walked, he felt the weight of the world lift from his shoulders. He breathed in the crisp autumn air, letting it fill his lungs with renewed purpose. The road stretched out before him like a ribbon of possibility, leading him towards his destiny.

Along the way, Marek encountered all manner of characters – farmers tending to their fields, old men sitting on park benches feeding the pigeons, children playing games in the streets. Each encounter filled him with a sense of wonder, a reminder of the beauty and diversity of the world around him.

But it was when Marek reached the bustling city of Warsaw that he truly felt alive. The streets teemed with life and energy, the air buzzing with the sound of laughter and music. Marek wandered through the city, his eyes wide with wonder as he took in the sights and sounds of this vibrant metropolis.

He passed through colorful markets, where vendors hawked their wares with cries of "Fresh bread! Juicy apples! Fine cheeses!" He wandered through narrow alleyways, where street performers dazzled passersby with their acrobatic feats and melodious tunes.

And then, as the sun began to set and the city lights flickered to life, Marek stumbled upon a small café nestled in the heart of the city. The smell of freshly brewed coffee wafted through the air, mingling with the scent of freshly baked pastries.

Marek stepped inside and was greeted by the warm glow of candlelight and the soft strains of a jazz band playing in the corner. He found a table near the window and ordered a cup of coffee, savoring the rich, bitter taste as he watched the world go by outside.

As Marek sat, lost in thought, he felt a tap on his shoulder. He turned to see a young woman standing behind him, her eyes sparkling with curiosity.

"Mind if I join you?" she asked, her voice soft and melodic.

Marek smiled and gestured to the empty chair across from him. "Please, be my guest."

The woman sat down, introducing herself as Ania. She was a painter, she explained, with a passion for capturing the beauty of the world around her on canvas.

As Marek and Ania talked, they discovered that they shared a love for adventure and a desire to see the world. They laughed and shared stories late into the night, their words flowing like a river, carrying them away to distant lands and far-off dreams.

And as the night turned to dawn and the café began to empty, Marek knew that he had found what he had been searching for all along – not in some distant land or hidden treasure, but in the simple pleasure of human connection.

Together, Marek and Ania set out to explore the world, their hearts full of hope and their spirits alive with possibility. And as they walked hand in hand down the road to their next adventure, Marek knew that he finally found his place in the world – on the road to Warsaw, and beyond.

Tajemnica Zaginiętej Naszyjniki

W gwarnym mieście Krakowie, gdzie ulice szumiały od rozmów przechodniów, a zapach świeżego chleba unosił się w powietrzu, mieszkała młoda kobieta o imieniu Magda. Magda pracowała jako kelnerka w uroczym kawiarnianym, gdzie podawała gorące filiżanki kawy i kawałki domowego ciasta stałym klientom, którzy często odwiedzali lokale.

Jednego rześkiego jesiennego poranka, gdy Magda szła do pracy, zauważyła coś błyszczącego na krawężniku. Zaciekawiona, schyliła się i podniosła, jej palce zamykały się wokół delikatnej złotej naszyjniki. Była ozdobiona pojedynczym szmaragdem, którego fasetki błyszczały w porannym słońcu.

Serce Magdy skoczyło jej do gardła, gdy oglądała naszyjnik. Był to najpiękniejszy kawałek biżuterii, jaki kiedykolwiek widziała, i nie mogła się oprzeć pytaniu, komu on należał. Rzuciła okiem wokół, ale ulica była pusta, oprócz kilku wcześniejszych porannych pasażerów spieszących się na swoje pociągi.

Z lekkim westchnieniem, Magda schowała naszyjnik do kieszeni i kontynuowała swoją drogę do pracy. Ale w miarę upływu dnia, nie mogła pozbyć się uczucia niepokoju, które gryzło jej sumienie. Wiedziała, że nie może zatrzymać naszyjnika dla siebie – należał do kogoś, kto na pewno tęsknił za nim.

Wieczorem, gdy Magda kończyła swoją zmianę w kawiarni, podjęła decyzję. Znajdzie właściciela naszyjnika, choćby miało to wymagać. I tak, uzbrojona jedynie w determinację i poczucie obowiązku, wyruszyła w miasto w poszukiwaniu wskazówek.

Magda rozpoczęła swoje śledztwo od powtórzenia swoich kroków, błądząc po ulicach, gdzie znalazła naszyjnik. Pytała handlarzy i przechodniów, pokazując im naszyjnik w nadziei, że ktoś go rozpozna.

Ale nikt nie wydawał się wiedzieć nic na jego temat, a frustracja Magdy rosła z każdym kolejnym ślepym zaułkiem. W momencie, gdy Magda zaczęła tracić nadzieję, natknęła się na wskazówkę. Handlarz uliczny powiedział jej, że widział kobietę noszącą naszyjnik podobny do tego, który Magda znalazła. Była ona stałą klientką na jego straganie, wyjaśnił, bogatą społeczną, która często odwiedzała kawiarnie i butiki modowe w modnej dzielnicy Krakowa.

Z tą nową informacją w ręku, Magda ruszyła do modnej dzielnicy, serce bijąc jej z ekscytacją. Przechadzała się ulicami, jej oczy przeczesując twarze dobrze ubranych klientów, którzy mijali ją. A potem, gdy już prawie traciła nadzieję, zobaczyła ją – kobietę z wyniosłą postawą i migoczącym naszyjnikiem na szyi.

Magda zbliżyła się do kobiety niepewnie, jej ręce drżały z nerwowości. "Przepraszam, pani," powiedziała, jej głos ledwo słyszalny. "Wierzę, że ten naszyjnik należy do pani."

Oczy kobiety rozszerzyły się ze zdziwienia, gdy wzięła naszyjnik z wyciągniętej ręki Magdy. "Mój naszyjnik!" wykrzyknęła, ulga malując się na jej twarzy. "Myślałam, że straciłam go na zawsze. Dziękuję, bardzo dziękuję."

Magda uśmiechnęła się, serce nabierając dumy. Rozwiązała tajemnicę zaginiętego naszyjnika, i w ten sposób pomogła połączyć kobietę z cennym przedmiotem. Był to drobny akt życzliwości, ale dla Magdy znaczył wszystko.

Gdy Magda wracała tej nocy do domu, jej kroki były lekkie, a duchy podniesione. Nie mogła się oprzeć uczuciu satysfakcji, które ją ogarnęło. Udowodniła sobie, że nawet w tak dużym mieście jak Kraków, gdzie ludzie często czują się zagubieni i samotni, nadal jest miejsce na współczucie i wspólnotę.

I gdy kładła się spać, migoczący szmaragdowy wisiorek schowany bezpiecznie w jej szufladzie, Magda wiedziała, że zawsze będzie wspominać dzień, w którym stała się detektywem, choćby na krótką chwilę.

The Mystery of the Missing Necklace

In the bustling city of Krakow, where the streets hummed with the chatter of passersby and the smell of fresh bread wafted through the air, there lived a young woman named Magda. Magda worked as a waitress in a quaint café, where she served steaming cups of coffee and slices of homemade cake to the regulars who frequented the establishment.

One crisp autumn morning, as Magda made her way to work, she noticed something glinting in the gutter. Curious, she bent down and picked it up, her fingers closing around a delicate gold necklace. It was adorned with a single emerald pendant, its facets sparkling in the morning sunlight.

Magda's heart skipped a beat as she examined the necklace. It was the most beautiful piece of jewelry she had ever seen, and she couldn't help but wonder who it belonged to. She glanced around, but the street was empty, save for a few early morning commuters hurrying to catch their trains.

With a shrug, Magda tucked the necklace into her pocket and continued on her way to work. But as the day wore on, she couldn't shake the feeling of unease that gnawed at her conscience. She knew that she couldn't keep the necklace for herself – it belonged to someone, someone who was surely missing it dearly.

That evening, as Magda finished her shift at the café, she made a decision. She would find the owner of the necklace, no matter what it took. And so, armed with nothing but determination and a sense of duty, she set out into the city in search of clues.

Magda began her investigation by retracing her steps, wandering through the streets where she had found the necklace. She questioned shopkeepers and passersby, showing them the necklace in the hopes that someone would recognize it. But no one seemed to know anything about it, and Magda's frustration grew with each dead end.

Just when Magda was starting to lose hope, she stumbled upon a lead. A street vendor told her that he had seen a woman wearing a necklace just like the one Magda had found. She was a regular customer at his stall, he explained, a wealthy socialite who frequented the cafés and boutiques of Krakow's fashionable district.

With this new information in hand, Magda set out for the fashionable district, her heart pounding with excitement. She wandered through the streets, her eyes scanning the faces of the well-heeled patrons who passed her by. And then, just as she was about to give up hope, she spotted her – a woman with a haughty demeanor and a glimmering necklace around her neck.

Magda approached the woman tentatively, her hands trembling with nervousness. "Excuse me, miss," she said, her voice barely above a whisper. "I believe this necklace belongs to you."

The woman's eyes widened in surprise as she took the necklace from Magda's outstretched hand. "My necklace!" she exclaimed, relief flooding her features. "I thought I had lost it forever. Thank you, thank you so much."

Magda smiled, her heart swelling with pride. She had solved the mystery of the missing necklace, and in doing so, she had helped reunite a woman with a precious possession. It was a small act of kindness, but to Magda, it meant everything.

As Magda walked home that night, her steps light and her spirits high, she couldn't help but feel a sense of satisfaction wash over her. She had proven to herself that even in a big city like Krakow, where people often felt lost and alone, there was still room for compassion and community.

And as she tucked herself into bed, the glimmering emerald pendant tucked safely away in her drawer, Magda knew that she would always cherish the memory of the day she became a detective, if only for a brief moment in time.

Piekarnia przy ulicy Sienkiewicza

W niewielkim miasteczku w Polsce, ukrytym wśród uroczych brukowanych uliczek, stała piekarnia przy ulicy Sienkiewicza. Było to miejsce ciepła i wygody, gdzie zapach świeżo upieczonego chleba unosił się w powietrzu, a dźwięk śmiechu odbijał się od ścian. Piekarnię prowadziła kobieta o imieniu Kasia. Była wdową o sercu ciepłym jak piekarnicze piece, i wlewała całą swoją miłość i pasję w swoje rzemiosło. Każdego ranka, zanim jeszcze wzeszło słońce, Kasia można było znaleźć w swojej kuchni, wyrabiając ciasto i formując bochenki rękoma, które zdawały się poruszać własnym życiem.

Pewnego chłodnego poranka jesienią, gdy Kasia przygotowywała się do kolejnego pracowitego dnia w piekarni, usłyszała ciche pukanie do drzwi. Otworzyła je, by zobaczyć młodą dziewczynę stojącą na progu, jej policzki zarumienione z zimna.

"Dzień dobry, Pani Kasiu," powiedziała dziewczynka, jej głos nieśmiały i niepewny. "Przepraszam za kłopot, ale jestem głodna i od kilku dni nic nie jadłam. Czy ma Pani może chleb, który mogłabym kupić?"

Serce Kasi zmiękło na widok dziewczynki, i bez wahania zaprosiła ją do środka. Podarowała jej ciepły bochenek chleba i filiżankę gorącej herbaty, patrząc z uśmiechem, jak dziewczynka pożerała swój posiłek z wdzięcznymi łzami w oczach.

Gdy siedzieli razem w przytulnym cieple piekarni, dziewczynka podzieliła się swoją historią z Kasią. Nazywała się Agnieszka, i straciła rodziców w tragicznym wypadku. Nie mając dokąd się zwrócić, mieszkała na ulicy, walcząc o przetrwanie.

Kasia słuchała uważnie, jej serce łamało się na widok nieszczęścia dziewczynki. Wiedziała, że nie może jej odesłać, zwłaszcza gdy potrzebuje tak deszczowej pomocy.

I tak, bez zastanowienia, Kasia zaoferowała Agnieszce pracę w piekarni. Miała ciepłe łóżko do spania i mnóstwo jedzenia, a w zamian miała pomagać Kasi w pracy.

Oczy Agnieszki rozszerzyły się z zaskoczenia i wdzięczności, gdy zaakceptowała ofertę Kasi. Nigdy nie wyobrażała sobie, że znajdzie taką życzliwość i hojność w obcej osobie, i złożyła obietnicę, że odpłaci Kasi za jej życzliwość w każdy możliwy sposób.

I tak, od tego dnia, Agnieszka stała się częścią rodziny piekarni. Pracowała niezmordowanie u boku Kasi, ucząc się sztuki wypieku chleba i obsługując klientów z uśmiechem. A z upływem dni, tygodni i miesięcy stawała się coraz silniejsza i pewniejsza siebie.

Ale nawet gdy Agnieszka znalazła nowy dom i nową rodzinę w piekarni, nigdy nie zapomniała o trudach, jakie musiała przejść na ulicy. Zrobiła sobie misję, by pomagać innym potrzebującym, oferując ciepły posiłek i miłe słowo każdemu, kto przeszedł jej drogę.

I gdy patrzyła na ruchliwe ulice miasteczka, Agnieszka wiedziała, że znalazła swój cel życiowy – szerzenie miłości i życzliwości wszystkim, którzy jej potrzebowali, tak jak Kasia uczyniła to dla niej. I choć może zaczęła jako głodna dziewczynka na ulicy, znalazła miejsce, gdzie należy, miejsce, gdzie może zmieniać świat, bochenek po bochenku.

The Bakery on Sienkiewicza Street

In a small town in Poland, nestled amidst the quaint cobblestone streets, there stood a bakery on Sienkiewicza Street. It was a place of warmth and comfort, where the scent of freshly baked bread filled the air and the sound of laughter echoed off the walls.

The bakery was run by a woman named Kasia. She was a widow with a heart as warm as the ovens in her bakery, and she poured all of her love and passion into her craft. Each morning, before the sun had even risen, Kasia could be found in her kitchen, kneading dough and shaping loaves with hands that seemed to move with a life of their own.

One chilly autumn morning, as Kasia was preparing for another busy day at the bakery, she heard a soft knock at the door. She opened it to find a young girl standing on the doorstep, her cheeks flushed from the cold.

"Good morning, Miss Kasia," the girl said, her voice timid and shy. "I'm sorry to bother you, but I'm hungry and I haven't eaten in days. Do you have any bread that I could buy?"

Kasia's heart went out to the girl, and without hesitation, she invited her inside. She gave her a warm loaf of bread and a cup of steaming tea, watching with a smile as the girl devoured her meal with grateful tears in her eyes.

As they sat together in the cozy warmth of the bakery, the girl shared her story with Kasia. Her name was Agnieszka, and she had lost her parents in a tragic accident. With nowhere else to turn, she had been living on the streets, struggling to survive.

Kasia listened intently, her heart breaking for the girl's plight. She knew that she couldn't turn her away, not when she was in such desperate need of help.

And so, without a second thought, Kasia offered Agnieszka a job at the bakery. She would have a warm bed to sleep in and plenty of food to eat, and in return, she would help Kasia with her work.

Agnieszka's eyes widened with surprise and gratitude as she accepted Kasia's offer. She had never imagined that she would find such kindness and generosity in a stranger, and she vowed to repay Kasia's kindness in any way she could.

And so, from that day forth, Agnieszka became a part of the bakery family. She worked tirelessly by Kasia's side, learning the art of bread-making and serving customers with a smile. And as the days turned into weeks and the weeks turned into months, she grew stronger and more confident with each passing day.

But even as Agnieszka found a new home and a new family at the bakery, she never forgot the struggles she had faced on the streets. She made it her mission to help others in need, offering a warm meal and a kind word to anyone who crossed her path.

And as she looked out over the bustling streets of the town, Agnieszka knew that she had found her purpose in life – to spread love and kindness to all who needed it, just like Kasia had done for her. And though she may have started out as a hungry girl on the streets, she had found a place where she belonged, a place where she could make a difference in the world, one loaf of bread at a time.

Sprzedawczyni Kwiatów z Krakowa

W sercu Krakowa, gdzie brukowane ulice rozbrzmiewały hałasem i zgiełkiem codziennego życia, mieszkała młoda kobieta o imieniu Ania. Ania była znana w całym mieście ze względu na swoje piękno i wdzięk, ale co więcej, była podziwiana za swoje dobre serce i hojny duch. Ania pracowała jako sprzedawczyni kwiatów, opiekując się małym straganem na rynku, gdzie sprzedawała bukiety barwnych kwiatów przechodniom. Każdego ranka wstawała przed świtem, by zbierać świeże kwiaty z pobliskich pól, starannie układając je w piękne bukiety, które rozjaśniały dzień każdego, kto je kupował.

Ale mimo jej zewnętrznej pozory zadowolenia, Ania skrywała tajną tęsknotę w swoim sercu. Marzyła o podróżach po świecie, o zwiedzaniu odległych krain i doświadczaniu nowych przygód. Ale wiedziała, że dopóki pozostanie związana ze swoim stoiskiem kwiatowym, jej marzenia nigdy się nie spełnią.

Pewnego rześkiego jesiennego poranka, gdy Ania układała kwiaty na dzień, zauważyła młodego mężczyznę obserwującego ją zza rynku. Był wysoki i przystojny, o przejmujących niebieskich oczach, które wydawały się patrzeć prosto w jej duszę.

Ania poczuła, jak rumieniec oblewa jej policzki, gdy młody mężczyzna podszedł do jej straganu, uśmiechając się lekko. "Dzień dobry," powiedział, jego głos był płynny i melodyjny. "Twoje kwiaty są piękne. Czy masz jakieś róże?"

Ania skinęła głową, serce bijąc jej w piersi. "Oczywiście," odpowiedziała, sięgając po bukiet głęboko czerwonych róż. "Czy chciałby Pan pojedynczy łodygę, czy bukiet?"

Młody mężczyzna zawahał się przez moment, jego oczy migocząc niepewnością. "Właściwie," powiedział, jego głos ledwo słyszalny, "zastanawiałem się, czy chciałaby Pani towarzyszyć mi na spacerze po mieście. Słyszałem, że Kraków jest szczególnie piękny jesienią."

Ania zamarła w bezruchu, patrząc mu prosto w oczy. Było w nim coś, co ją do niego przyciągało jak ćma do płomienia. I tak, bez namysłu, skinęła zgodą, zostawiając swój stragan kwiatowy, idąc za nim w gwar ulic Krakowa.

Gdy spacerowali, młody mężczyzna przedstawił się jako Stefan. Był podróżnikiem, wyjaśnił, przechodząc przez Kraków w drodze do odległych krain. Ania słuchała uważnie, jak Stefan opowiadał jej o swoich przygodach – o egzotycznych miastach i starożytnych ruinach, o odległych krainach, gdzie niebo rozciągało się na zawsze.

Ale w miarę upływu dnia, kiedy słońce chowało się pod horyzont, Ania zdała sobie sprawę, że straciła poczucie czasu. Spędziła cały dzień z Stefanem, wędrując przez miasto i gubiąc się w jego historiach. I chociaż wiedziała, że powinna wrócić do swojego straganu z kwiatami, nie mogła się jeszcze rozstać z Stefanem.

I tak, gdy stali pod gwiazdami na rynku, Ania podjęła decyzję. Zostawi swoje stoisko kwiatowe i dołączy do Stefana w jego podróży, niezależnie od tego, dokąd by ich zaprowadziła. Po raz pierwszy w życiu poczuła się żywa, serce biło jej z podniecenia na myśl o przygodach.

Z uśmiechem i skinieniem głowy Ania pożegnała Kraków, zostawiając za sobą jedno życie, jakie kiedykolwiek znała, w poszukiwaniu czegoś więcej. I gdy ona i Stefan wyruszali w nieznane, trzymając się za ręce, wiedziała, że jest wreszcie wolna, by podążać za swoimi marzeniami, gdziekolwiek by ją one zaprowadziły.

The Flower Seller of Krakow

In the heart of Krakow, where the cobblestone streets echoed with the hustle and bustle of daily life, there lived a young woman named Anya. Anya was known throughout the city for her beauty and grace, but more than that, she was admired for her kind heart and generous spirit.

Anya worked as a flower seller, tending to a small stall in the market square where she sold bouquets of vibrant blooms to passersby. Each morning, she would rise before dawn to gather fresh flowers from the nearby fields, carefully arranging them into beautiful bouquets that would brighten the day of anyone who bought them.

But despite her outward appearance of contentment, Anya harbored a secret longing in her heart. She dreamed of traveling the world, of exploring far-off lands and experiencing new adventures. But she knew that as long as she remained tied to her flower stall, her dreams would never come true.

One crisp autumn morning, as Anya was arranging her flowers for the day, she noticed a young man watching her from across the square. He was tall and handsome, with piercing blue eyes that seemed to see straight into her soul.

Anya felt her cheeks flush as the young man approached her stall, a smile playing at the corners of his lips. "Good morning," he said, his voice smooth and melodious. "Your flowers are beautiful. Do you have any roses?"

Anya nodded, her heart fluttering in her chest. "Of course," she replied, reaching for a bouquet of deep red roses. "Would you like a single stem, or a bouquet?"

The young man hesitated for a moment, his eyes flickering with uncertainty. "Actually," he said, his voice barely above a whisper, "I was wondering if you would accompany me for a walk through the city. I've heard that Krakow is especially beautiful in the autumn."

Anya's breath caught in her throat as she looked into the young man's eyes. There was something about him, something that drew her to him like a moth to a flame. And so, without a second thought, she nodded her assent, leaving her flower stall behind as she followed him into the bustling streets of Krakow.

As they walked, the young man introduced himself as Stefan. He was a traveler, he explained, passing through Krakow on his way to distant lands. Anya listened intently as Stefan regaled her with tales of his adventures – of exotic cities and ancient ruins, of far-off lands where the sky stretched on forever.

But as the day wore on and the sun dipped below the horizon, Anya realized that she had lost track of time. She had spent the entire day with Stefan, wandering through the city and losing herself in his stories. And though she knew that she should return to her flower stall, she couldn't bear to say goodbye to Stefan just yet.

And so, as they stood beneath the stars in the market square, Anya made a decision. She would leave her flower stall behind and join Stefan on his journey, no matter where it led. For the first time in her life, she felt alive, her heart pounding with excitement at the prospect of adventure.

With a smile and a nod, Anya bid farewell to Krakow, leaving behind the only life she had ever known in search of something more. And as she and Stefan set out into the unknown, hand in hand, she knew that she was finally free to chase her dreams, wherever they may lead.

Magia Bursztynowego Naszyjnika

W małej wiosce pośród pagórków Polski mieszkała młoda dziewczyna o imieniu Ewa. Ewa była znana w całej wiosce ze swojego jasnego uśmiechu i łagodnego usposobienia, ale co więcej, była podziwiana za swoją miłość do opowieści i legend.

Pewnego rześkiego jesiennego dnia, gdy Ewa spacerowała przez las niedaleko swojego domu, natknęła się na mieniący się obiekt między opadłymi liśćmi. Ciekawa, pochyliła się i podniosła go, jej palce zaciskały się wokół delikatnego naszyjnika z bursztynu.

Naszyjnik świecił się wewnętrznym światłem, jego złote odcienie odbijały kolory jesiennych liści. Ewa wiedziała, że natknęła się na coś wyjątkowego, coś magicznego, i nie mogła powstrzymać uczucia podekscytowania, gdy trzymała go w rękach.

Z naszyjnikiem na szyi Ewa wróciła do domu, jej serce biło szybciej z niecierpliwością. Pokazała naszyjnik swojej babci, która westchnęła z zaskoczenia, gdy go zobaczyła.

"Ewo, skąd to znalazłaś?" zapytała babcia, jej oczy szeroko otwarte z zachwytu.

"W lesie, Babcia," odpowiedziała Ewa, jej głos pełen ekscytacji. "Po prostu leżał tam, czekając, aż go znajdę."

Twarz babci rozpromieniła się ze zrozumieniem. "Ten naszyjnik to niezwykły przedmiot, Ewo. Mówi się, że posiada magiczne moce, przekazywane z pokolenia na pokolenie w naszej rodzinie. Legenda głosi, że każdy, kto nosi naszyjnik, zostanie obdarowany swoimi najgłębszymi pragnieniami."

Oczy Ewy szeroko się rozwidniły, gdy słuchała słów swojej babci. Zawsze marzyła o przygodach i ekscytujących chwilach, o zobaczeniu świata poza granicami swojej wioski. A teraz, wydawało się, że jej marzenia są w zasięgu ręki, dzięki magicznemu naszyjnikowi, który teraz miała na szyi.

Zdecydowana, by przetestować moce naszyjnika, Ewa zamknęła oczy i wyszeptała swoje najgłębsze pragnienie do bursztynowego wisiorka. Życzyła sobie przygód, ekscytujących przeżyć, życia pełnego cudów i możliwości. I ku jej zdumieniu, jej życzenie zostało spełnione. Gdy otworzyła oczy, poczuła mrowienie rozchodzące się po jej ciele, wypełniające ją poczuciem nieograniczonej energii i podekscytowania. Wiedziała w tamtej chwili, że jej życie nigdy nie będzie już takie samo. Pod przewodnictwem naszyjnika Ewa wyruszyła w podróż, by odkryć świat poza swoją wioską. Podróżowała do odległych krain, gdzie zdumiewała się górami i szerokimi oceanami, gdzie tańczyła pod gwiazdami i śmiała się z obcymi, którzy wkrótce stawali się przyjaciółmi. Ale bez względu na to, dokąd szła, Ewa zawsze miała przy sobie magiczny naszyjnik, przypominający jej o sile swoich marzeń i pragnień. I choć napotykała wiele wyzwań i przeszkód na swojej drodze, nigdy nie straciła z oczu magii, która doprowadziła ją tam, gdzie jest teraz.

Lata mijały, a przygody Ewy zaprowadziły ją do każdego zakątka świata. Wspięła się na góry i przemierzała pustynie, przepłynęła ocean i wędrowała po starożytnych miastach. I przez to wszystko, magiczny naszyjnik pozostał u jej boku, stałym źródłem siły i przewodnictwa.

Ale w miarę jak Ewa się starzeje, zaczęła odczuwać tęsknotę za domem, za znajomymi widokami i dźwiękami swojej wioski. I tak, z sercem pełnym wspomnień i duszą wzbogaconą przez swoje przygody, wróciła do miejsca, gdzie wszystko się zaczęło.

Gdy przechadzała się ulicami swojej wioski, Ewa nie mogła powstrzymać uśmiechu na myśl o wspomnieniach, które zalewały ją. Pozdrowiła starych przyjaciół i sąsiadów z ciepłem i uczuciem, wdzięczna za miłość i wsparcie, jakie zawsze jej okazywali.

I kiedy doszła do domu swojej babci, Ewa wiedziała, że wróciła do punktu wyjścia, że jej podróż zaprowadziła ją tam, gdzie jej miejsce. Objęła mocno swoją babcię, łzy radości spływały jej po policzkach.

"Dziękuję, Babciu," szeptała, jej głos dławił się emocjami. "Dziękuję, że wierzyłaś we mnie, że prowadziłaś mnie w tej niesamowitej podróży." Jej babcia uśmiechnęła się, oczy błyszczały z dumy. "Zawsze byłaś przeznaczona do wielkich rzeczy, Ewo. Wiedziałam od chwili, kiedy znalazłaś ten naszyjnik, że jesteś wyjątkowa. A teraz, gdy stoisz przede mną, widzę, że miałam rację."

I tak, gdy słońce zachodziło w kolejny dzień wioski, Ewa i jej babcia siedzieli razem, dzieląc się opowieściami i śmiechem, patrząc na gwiazdy błyszczące na nocnym niebie. I chociaż przygody Ewy zabierały ją daleko od domu, wiedziała, że prawdziwa magia jej podróży tkwiła nie w miejscach, które widziała, ale w miłości i przyjaźni, które znalazła w drodze.

The Magic of the Amber Necklace

In a small village nestled amidst the rolling hills of Poland, there lived a young girl named Eva. Eva was known throughout the village for her bright smile and gentle nature, but more than that, she was admired for her love of stories and legends.

One crisp autumn day, as Eva wandered through the forest near her home, she stumbled upon a glimmering object nestled among the fallen leaves. Curious, she bent down and picked it up, her fingers closing around a delicate necklace made of amber.

The necklace seemed to glow with an inner light, its golden hues reflecting the colors of the autumn leaves. Eva knew that she had stumbled upon something special, something magical, and she couldn't help but feel a sense of excitement as she held it in her hands.

With the necklace clasped around her neck, Eva returned home, her heart pounding with anticipation. She showed the necklace to her grandmother, who gasped in astonishment when she saw it.

"Eva, where did you find this?" her grandmother asked, her eyes wide with wonder.

"In the forest, Grandma," Eva replied, her voice filled with excitement. "It was just lying there, waiting for me to find it."

Her grandmother's face lit up with recognition. "That necklace is no ordinary piece of jewelry, Eva. It is said to possess magical powers, passed down through generations of our family. Legend has it that whoever wears the necklace will be granted their deepest desires."

Eva's eyes widened with wonder as she listened to her grandmother's words. She had always dreamed of adventure and excitement, of seeing the world beyond the borders of her village. And now, it seemed that her dreams were within reach, thanks to the magical necklace she now wore around her neck.

Determined to put the necklace's powers to the test, Eva closed her eyes and whispered her deepest desire into the amber pendant. She wished for adventure, for excitement, for a life filled with wonder and possibility.

And to her amazement, her wish was granted. As she opened her eyes, she felt a tingling sensation spread through her body, filling her with a sense of boundless energy and excitement. She knew in that moment that her life was about to change forever.

With the necklace guiding her, Eva set out on a journey to explore the world beyond her village. She traveled to distant lands, where she marveled at towering mountains and vast oceans, where she danced beneath the stars and laughed with strangers who soon became friends.

But no matter where she went, Eva always carried the magical necklace with her, a reminder of the power of her own dreams and desires. And though she faced many challenges and obstacles along the way, she never lost sight of the magic that had brought her to where she was.

Years passed, and Eva's adventures took her to every corner of the globe. She climbed mountains and crossed deserts, sailed across oceans and wandered through ancient cities. And through it all, the magical necklace remained by her side, a constant source of strength and guidance.

But as Eva grew older, she began to feel a longing for home, for the familiar sights and sounds of her village. And so, with a heart full of memories and a soul enriched by her adventures, she returned to the place where it all began.

As she walked through the streets of her village, Eva couldn't help but smile at the memories that flooded back to her. She greeted old friends and neighbors with warmth and affection, grateful for the love and support they had always shown her.

And as she reached her grandmother's house, Eva knew that she had come full circle, that her journey had led her back to where she belonged. She embraced her grandmother tightly, tears of joy streaming down her cheeks.

"Thank you, Grandma," she whispered, her voice choked with emotion. "Thank you for believing in me, for guiding me on this incredible journey."

Her grandmother smiled, her eyes twinkling with pride. "You were always destined for great things, Eva. I knew from the moment you found that necklace that you were special. And now, as you stand before me, I see that I was right."

And so, as the sun set on another day in the village, Eva and her grandmother sat together, sharing stories and laughter as they watched the stars twinkle in the night sky. And though Eva's adventures had taken her far from home, she knew that the true magic of her journey lay not in the places she had seen, but in the love and friendship she had found along the way.

Prezent Lalkarki

W małej wiosce otoczonej bujnymi zielonymi polami Polski mieszkała skromna lalkarka o imieniu Anna. Dni Anny spędzały się na tworzeniu wyśmienitych lalek w jej przytulnej pracowni, gdzie zapach trocin mieszał się z łagodnymi dźwiękami muzyki, które napełniały powietrze. Lalki Anny były ukochane w całej wiosce, każda z nich arcydziełem rzemiosła i miłości. Pomimo swego talentu Anna pozostawała cicha i skromna, zadowolona z tego, że jej praca mówiła sama za siebie.

Pewnego chłodnego zimowego poranka, gdy Anna siedziała przy swoim warsztacie, formując nową lalkę z kawałka drewna, usłyszała ciche pukanie do drzwi. Podniosła wzrok, by zobaczyć młodą dziewczynę stojącą w drzwiach, jej policzki zarumienione od zimna.

"Dzień dobry, Anno," powiedziała dziewczynka, jej głos słodki i melodyjny. "Przyszłam poprosić, czy mogłabyś zrobić dla mnie lalkę."

Anna uśmiechnęła się ciepło, gestem zapraszając dziewczynkę do środka. "Oczywiście, moja droga," odpowiedziała. "Jaką lalkę chciałabyś?"

Oczy dziewczynki zajaśniały ekscytacją, gdy opisywała swoją wymarzoną lalkę – piękną księżniczkę z długimi, spadającymi włosami i suknią zrobioną z jedwabiu i satyny. Anna słuchała uważnie, jej serce nabrzmiewało z radością na myśl o ożywieniu wizji dziewczynki.

I tak, z iskrą w oku i piosenką w sercu, Anna zabierała się do pracy nad lalką. Rzeźbiła i malowała, szyć i haftowała, wlewała całe swe umiejętności i pasję, by stworzyć doskonałą księżniczkę dla dziewczynki.

Tygodnie mijały, a gdy śnieg topniał, a kwiaty zaczynały kwitnąć, Anna dokonywała ostatnich poprawek na lalce. Została w miejscu, by podziwiać swoje dzieło, zachwycając się pięknem lalki, którą stworzyła.

Gdy dziewczynka wróciła po swoją lalkę, zdziwiła się na jej widok. "Och, Anno," wykrzyknęła, jej oczy świeciły się z zachwytem. "Ona jest jeszcze piękniejsza, niż sobie wyobrażałam! Dziękuję, dziękuję ci bardzo."

Anna uśmiechnęła się serdecznie, jej serce nabrzmiewało z dumą. "To był mój przyjemność, moja droga," odpowiedziała. "Cieszę się, że ci się podoba."

Gdy dziewczynka wyszła, trzymając swoją nową lalkę w ramionach, Anna nie mogła powstrzymać uczucia satysfakcji, które ogarnęło ją. Wiedziała, że dała dziewczynce prezent, który będzie ceniony przez lata, prezent, który przyniesie jej radość i pociechę w trudnych chwilach.

I gdy Anna wróciła do swojego warsztatu, by zacząć tworzyć swój kolejny arcydzieło, wiedziała, że będzie kontynuować przynoszenie szczęścia w życie innych poprzez swoje dzieła. Bo w prostym akcie tworzenia czegoś pięknego Anna znalazła swój prawdziwy cel – rozszerzanie miłości i radości wszystkim, którzy przekraczają jej drogę.

The Dollmaker's Gift

In a small village nestled among the lush green fields of Poland, there lived a humble dollmaker named Anna. Anna's days were spent crafting exquisite dolls in her cozy workshop, where the scent of sawdust mingled with the soft strains of music that filled the air.

Anna's dolls were beloved throughout the village, each one a masterpiece of craftsmanship and love. But despite her talent, Anna remained a quiet and unassuming woman, content to let her work speak for itself.

One chilly winter morning, as Anna sat at her workbench, shaping a new doll from a block of wood, she heard a soft knock at the door. She glanced up to see a young girl standing in the doorway, her cheeks flushed from the cold.

"Good morning, Anna," the girl said, her voice sweet and melodious. "I've come to ask if you would make a doll for me."

Anna smiled warmly, gesturing for the girl to come inside. "Of course, my dear," she replied. "What kind of doll would you like?"

The girl's eyes lit up with excitement as she described her dream doll – a beautiful princess with long, flowing hair and a gown made of silk and satin. Anna listened intently, her heart swelling with joy at the thought of bringing the girl's vision to life.

And so, with a twinkle in her eye and a song in her heart, Anna set to work on the doll. She carved and painted, sewed and stitched, pouring all of her skill and passion into creating the perfect princess for the girl.

Weeks passed, and as the snow melted and the flowers began to bloom, Anna put the finishing touches on the doll. She stood back to admire her handiwork, marveling at the beauty of the doll she had created.

When the girl returned to collect her doll, she gasped in astonishment at the sight of it. "Oh, Anna," she exclaimed, her eyes shining with delight.

"She's even more beautiful than I imagined! Thank you, thank you so much."

Anna smiled warmly, her heart swelling with pride. "It was my pleasure, my dear," she replied. "I'm so glad you like her."

As the girl left with her new doll cradled in her arms, Anna couldn't help but feel a sense of satisfaction wash over her. She knew that she had given the girl a gift that she would cherish for years to come, a gift that would bring her joy and comfort in times of need.

And as Anna returned to her workbench to begin crafting her next masterpiece, she knew that she would continue to bring happiness to the lives of others through her art. For in the simple act of creating something beautiful, Anna had found her true calling – to spread love and joy to all who crossed her path.

Pieśń Rzeki

W niewielkiej polskiej wiosce osadzonej wzdłuż brzegów krętej rzeki mieszkała młoda dziewczyna o imieniu Ela. Była znana w całej wiosce ze swojej łagodnej natury i miłości do wody. Już od młodego wieku Ela czuła głęboką więź z rzeką, która płynęła przez jej dom, a jej wody szeptały do niej sekrety, tańcząc nad gładkimi kamieniami pod powierzchnią.

Każdego ranka, zanim jeszcze wschodziło słońce, Ela wkradała się nad brzeg rzeki, jej boskie stopy cichutko stukające w chłodnej ziemi. Siadała na brzegu wody, słuchając łagodnego szumu rzeki, która zabierała jej myśli na swoich nurtach.

W miarę jak Ela dorastała, jej więź z rzeką tylko pogłębiała się. Spędzała dni na eksplorowaniu jej brzegów, jej palce ślizgające się przez wodę w poszukiwaniu ukrytych skarbów między trzcinami i sitowiem. Leżała na trawiastym brzegu rzeki, obserwując, jak chmury leniwie przesuwały się po niebie, gdy rzeka śpiewała swoją słodką, kojącą melodię.

Ale mimo że Ela kochała rzekę, był jeden rzecz, która ją niepokoiła - tajemnicze zniknięcie jej ojca. Pewnego dnia wyszedł on na ryby nad rzekę i nigdy nie wrócił. Matka Ela powiedziała jej, że został porwany przez prądy, na zawsze zgubiony w głębinach objęcia rzeki.

Ale Ela odmówiła uwierzyć, że jej ojciec zniknął. Spędzała godziny przeszukując brzegi rzeki, szukając jakiegokolwiek śladu po nim, jej serce ciężkie od żalu i tęsknoty. Siadała nad brzegiem wody, jej oczy przeskanowując horyzont w poszukiwaniu choćby mrugnięcia jego znajomej twarzy, ale on nigdy nie wrócił.

Pewnego dnia, gdy Ela siedziała nad rzeką, zagubiona w myślach, usłyszała cichy, melodyjny głos unoszący się w powietrzu. To była rzeka, śpiewająca pieśń smutku i tęsknoty, pieśń, która zdawała się być echem bólu w sercu Eli.

Poruszona żałobną melodią rzeki, Ela wyciągnęła rękę i zanurzyła ją w chłodnej wodzie. Zamknęła oczy i pozwoliła pieśni rzeki oplątać ją, czując jak jej łagodne pieśni koiły jej zmartwioną duszę.

I wtedy, jakby w odpowiedzi na jej smutek, rzeka zaczęła mienić się i świecić innym światłem. Ela patrzyła z zachwytem, jak woda wyłaniała się przed nią, tworząc migoczącą postać, która zdawała się tańczyć na powierzchni rzeki.

To był jej ojciec, jego twarz rozświetlona miękkim blaskiem światła rzeki. Wyciągnął rękę ku Ela, w milczącym zaproszeniu.

Z łzami spływającymi po jej policzkach, Ela wyciągnęła rękę w stronę swojego ojca, jej palce muskając powierzchnię wody. I w tamtej chwili poczuła, jak ciepło rozprzestrzenia się po jej ciele, uczucie pokoju i miłości, których nigdy wcześniej nie doświadczyła.

Kiedy Ela i jej ojciec się objęli, pieśń rzeki wzrosła do crescendo, napełniając powietrze swoją trudną melodią. I w tamtej chwili Ela wiedziała, że jej ojciec nie jest na zawsze stracony dla niej, ale że zawsze będzie z nią, jego duch żyjący w łagodnym nurcie rzeki, która ich połączyła.

Od tego dnia Ela spędzała każdą wolną chwilę nad rzeką, słuchając jej pieśni i czując obecność swojego ojca obok siebie. I choć wiedziała, że już nie jest z nią fizycznie, czerpała pocieszenie z wiedzy, że ich więź jest wieczna, tkana w samej strukturze duszy rzeki.

I gdy siedziała nad brzegiem wody, jej serce wypełnione miłością i wdzięcznością, Ela wiedziała, że nigdy nie będzie sama, dopóki rzeka płynie i śpiewa swoją słodką, kojącą melodię. Bo w jej łagodnych nurtach znalazła połączenie, które będzie trwało przez wieczność.

The River's Song

In a small Polish village nestled along the banks of a winding river, there lived a young girl named Ela. She was known throughout the village for her gentle nature and her love of the water. From a young age, Ela had felt a deep connection to the river that flowed through her home, its waters whispering secrets to her as it danced over the smooth stones beneath its surface.

Every morning, before the sun had even risen, Ela would sneak down to the riverbank, her bare feet padding softly against the cool earth. She would sit by the water's edge, listening to the gentle murmur of the river as it carried her thoughts away on its currents.

As she grew older, Ela's bond with the river only deepened. She spent her days exploring its banks, her fingers trailing through the water as she searched for hidden treasures among the reeds and rushes. She would lie on the grassy riverbank, watching the clouds drift lazily across the sky as the river sang its sweet, soothing melody.

But as much as Ela loved the river, there was one thing that troubled her – the mysterious disappearance of her father. He had gone out one day to fish on the river, and never returned. Ela's mother told her that he had been swept away by the currents, lost forever to the depths of the river's embrace.

But Ela refused to believe that her father was gone. She spent hours scouring the riverbanks, searching for any sign of him, her heart heavy with grief and longing. She would sit by the water's edge, her eyes scanning the horizon for any glimpse of his familiar face, but he never returned.

One day, as Ela was sitting by the river, lost in her thoughts, she heard a faint, melodic voice drifting through the air. It was the river, singing a song of sorrow and longing, a song that seemed to echo the ache in Ela's heart.

Moved by the river's mournful melody, Ela reached out her hand and dipped it into the cool water. She closed her eyes and let the river's song wash over her, feeling its gentle caress soothe her troubled soul.

And then, as if in response to her grief, the river began to shimmer and glow with an otherworldly light. Ela watched in amazement as the water rose up before her, forming a shimmering figure that seemed to dance on the surface of the river.

It was her father, his face illuminated by the soft glow of the river's light. He reached out to Ela, his hand outstretched in a silent invitation.

With tears streaming down her cheeks, Ela reached out to her father, her fingers brushing against the surface of the water. And in that moment, she felt a warmth spread through her body, a feeling of peace and love that she had never known before.

As Ela and her father embraced, the river's song swelled to a crescendo, filling the air with its haunting melody. And in that moment, Ela knew that her father was not lost to her forever, but that he would always be with her, his spirit living on in the gentle flow of the river that had brought them together.

From that day forth, Ela spent every moment she could by the river, listening to its song and feeling her father's presence beside her. And though she knew that he was no longer with her in body, she took comfort in the knowledge that their bond was eternal, woven into the very fabric of the river's soul.

And as she sat by the water's edge, her heart filled with love and gratitude, Ela knew that she would never be alone as long as the river flowed and sang its sweet, soothing melody. For in its gentle currents, she had found a connection that would endure for all eternity.

Printed in the USA
CPSIA information can be obtained
at www.ICGtesting.com
LVHW021438140924
790992LV00002B/370